Carry Slee

De Smoezenkampioen

Met tekeningen van Dagmar Stam

Van Holkema & Warendorf

Voor Penkie

Vierde druk, 1996

ISBN 90 269 0112 7 / CIP
© 1994 by Unieboek BV/Van Holkema & Warendorf,
Postbus 97, 3990 DB Houten
Vormgeving omslag: Ton Ellemers
Onder de titel *Er zit een vlieg in mijn oog* is dit boek eerder uitgegeven door de School-
adviesdienst regio Nijmegen, ter gelegenheid van het 20-jarig bestaan van de dienst

Inhoud

Eén-nul

Het is doodstil in de klas. Alle kinderen zitten achter hun tafel. Met hun taalboek open. Zelfs Sjoerd en Eva kletsen niet. Terwijl hun wijsvinger langs de regels glijdt, luisteren ze naar Merel. Die leest hardop. Ze luisteren aandachtig. Dat komt omdat het zo'n spannend verhaal is. Over een jongen die een draak gaat verslaan. Helemaal in zijn eentje. Maar ook omdat Merel zo mooi voorleest. Dat maakt het extra spannend.

Gisteren hebben ze al in groepjes aan het verhaal gewerkt. Ze moesten er vragen over maken. De meeste kinderen vonden dat moeilijk. Daarom wil meester Koen dat ze het verhaal nog een keer met elkaar lezen.

Iedereen is verdiept in het verhaal. Iedereen, behalve Thijs. Die kan zijn gedachten er niet bijhouden. Hij heeft buikpijn. Thijs heeft altijd buikpijn als ze hardop lezen. Hij is bang dat hij een beurt krijgt.

'Mooi, Merel, stop maar,' zegt meester Koen. 'Eens even kijken, wie heb ik een tijd niet gehoord...' Zijn ogen glijden langs de rijen.

Thijs duikt weg achter de rug van Mieke. Hij maakt zich zo klein mogelijk. Zodat de meester hem niet kan zien. Zijn hart klopt in zijn keel.

'Thijs, wil jij verdergaan?' hoort hij dan de meester vragen. Ja hoor, daar heb je het al. De halve klas begint te zuchten. Thijs krijgt er een kleur van. Hij weet niet eens waar ze gebleven zijn. Merel leest zo vlug.

'Hier,' fluistert Iris. Ze houdt haar vinger bij de regel.

Thijs schraapt zijn keel. Opeens heeft hij het hartstikke warm. Het zweet staat in zijn handen. Hakkelend leest hij voor. Woord voor woord. Even blijft het stil. Wat staat daar nou weer? Thijs bestudeert de letters. Bas begint hardop te gapen.

Rotjoch, denkt Thijs. Hij bijt zenuwachtig op zijn lip. Een paar keer slikt hij. Daarna leest hij verder. Heel langzaam. Nu begint Bas hardop te snurken. Alsof hij in slaap is gevallen. Iedereen schiet in de lach. Thijs voelt de tranen in zijn ogen prikken. De meester neemt het gelukkig voor hem op.

8

'Wil jij soms in de pauze binnen blijven, Bas?' vraagt hij
streng.
Het is meteen stil. Thijs leest dapper door. Terwijl hij
woordje voor woordje in zijn hoofd spelt.
Gelukkig, de bel! Thijs zucht opgelucht. Daar is hij tenminste vanaf. Hij kijkt naar meester Koen. Ging het erg
slecht? Maar meester Koen zegt helemaal niet wat hij ervan
vond. Hij wrijft bezorgd over zijn voorhoofd.
'Bergen jullie je boek maar op,' klinkt het afwezig.
Terwijl de klas naar buiten stormt, staart meester Koen
voor zich uit.

9

Een paar minuten later holt Thijs over het schoolplein.
Zijn buikpijn is over. Hij legt twee jassen op de grond. Dat
is zijn doel. Dan gaat hij zelf in het doel staan. Flip schiet de
bal naar Eva. Die trapt hem weer naar Thijs. Thijs speelt de
bal terug naar Flip. Een tijdje spelen ze zo over. Tot het
elftal van de zesde groep eraan komt. Nu kan de wedstrijd
beginnen.

'Zet hem op!' roept Thijs. Vanuit het doel geeft hij een
paar aanwijzingen. Ze moeten hard knokken. De voetbal-
lers van groep zes zijn een jaar ouder. En zij hebben
Daantje Doelpunt erbij.

'Pas op!' schreeuwt Thijs. Kim van de tegenpartij komt gevaarlijk dichtbij. Sjoerd probeert de bal af te pingelen. Maar Kim speelt hem gauw af naar Daantje Doelpunt. Daan schiet en... Thijs duikt in een hoek van het doel. Boven op de bal.

Over het hek van het schoolplein hangt een groepje jongens. 'Haha... damesvoetbal!' joelen ze. 'Pas op je gelakte nageltjes, keepertje!'

Thijs kent het groepje wel. Ze hebben een eigen voetbalclub. De Sprinters noemen ze zich. Hij doet net of hij ze niet hoort. Vlug legt hij de bal op de grond. Hij tuurt over het veld. Een eindje verderop staat Bas. Helemaal vrij. Bas gebaart dat Thijs moet schieten. Thijs trapt de bal. Maar niet naar Bas. Hij trapt hem naar Flip. Die staat helemaal aan de andere kant van het veld. Dat is niet gemakkelijk. Toch lukt het Thijs. De bal komt vlak voor Flips voeten terecht. Flip schiet in de richting van het doel en...

Eén-nul!

Bas kijkt teleurgesteld. Hij had het doelpunt zelf willen maken.

Mocht je willen, stomme snurker, denkt Thijs. En hij gaat klaarstaan voor de volgende aanval.

De voetbalclub

Thijs loopt de school uit. Bij het fietsenhok staan Kim en
Daantje Doelpunt hem op te wachten.
'Jou moeten we hebben!' Daan legt een hand op de schou-
der van Thijs. 'Kun je een geheim bewaren?'
Thijs knikt.
'We gaan een eigen voetbalclub oprichten,' vertelt Kim.

'Jasper, Hakim en Maaike doen ook mee. We hebben nog een keeper nodig. Iets voor jou misschien?'

Thijs kan zijn oren niet geloven. Hij, bij de groten van de zesde groep...?

'Ja of nee,' dringt Daan aan.

Thijs hoeft er geen seconde over na te denken. 'Ja natuurlijk,' zegt hij gauw.

'Mooi zo.' Daantje Doelpunt geeft hem een por in zijn zij. 'Vanavond om half zeven in het clubhuis.'

'Clubhuis...?' Thijs kijkt hem verbaasd aan. 'Welk clubhuis?'

'Weet je het veldje achter het station?' vraagt Kim. 'Als je een stukje doorfietst, zie je een caravan. Daar is het. Mondje dicht tegen de anderen, hè?'

'Afgesproken.' Thijs pakt zijn fiets en sjeest naar huis.

Zodra hij de voordeur opendoet, barst hij los. 'Mam, ze hebben mij gevraagd voor een voetbalclub. Vanavond beginnen we al.'

'Vanavond?' Zijn moeder kijkt bezorgd. 'En hoe moet het dan met je dictee?'

'Dat doe ik voor het eten,' belooft Thijs.

Hij wil naar zijn kamer gaan. Maar moeder houdt hem tegen. 'Wacht even, ik heb een mooie kaart voor Paula gekocht. Die is morgen jarig.'

'Leuk.' Thijs wil doorlopen.

'Blijf nou even hier. Ik wil dat jij er ook iets op schrijft. Dat zal ze leuk vinden.'

Thijs wordt rood. 'Ik... eh... ik weet niks te schrijven.'

'Eén regeltje is genoeg.' Moeder legt de kaart op tafel. Ze

13

duwt Thijs een pen in zijn hand. 'Hieronder.'

'Wat moet ik nou schrijven?' Thijs legt de pen neer.

Zijn moeder zucht. 'Dat is toch niet zo moeilijk? Paula is nog wel je lievelingsnicht. Je kunt schrijven: een fijne verjaardag.'

In de keuken rinkelt de kookwekker. 'Eén tel.' Moeder loopt de kamer uit.

Thijs pakt de pen en begint te schrijven. *Een veine furjardach. Thijs.*

'En?' Moeder bekijkt de kaart. Dan schudt ze bezorgd haar hoofd. 'Hoe kan dat nou toch, dat jij zoveel fouten maakt? Wat moet Paula wel denken als ze dit leest? Die schrijft nog beter dan jij. En ze zit pas in de derde groep!'

Dat wordt Thijs te veel.

'Kan ik er wat aan doen...!' schreeuwt hij half huilend.

'Kan ik er wat aan doen dat ik niet weet hoe het moet!' Hij holt de kamer uit naar buiten. Daar gaat hij zitten, naast de schuur. In zijn eigen tuintje. Dat doet hij altijd als hij verdrietig is. Zijn plantjes maken hem meestal weer blij. Die zeuren tenminste niet over stomme fouten...

Thijs bekijkt zijn plantjes. Je kunt zien dat het voorjaar is. Sommige beginnen al een beetje te bloeien. Alleen dat ene viooltje niet. Gek is dat. Er zit zelfs niet één knop aan. En de blaadjes hangen een beetje slap. Thijs buigt zich bezorgd over het plantje heen.

'Die zou ik maar weggooien. Dat wordt nooit wat.'

Het is de stem van de buurvrouw. Ze gluurt over de heg. Voordat Thijs iets kan zeggen, is ze verdwenen.

'Luister maar niet naar haar, hoor,' fluistert Thijs tegen het viooltje. 'Ik gooi je heus niet weg. Ik vraag het wel aan opa. Die weet vast wel hoe we jou kunnen opknappen.'

Thijs pakt de gieter. Heel zorgvuldig giet hij wat water over het plantje.

De Turboos

Thijs sjeest de straat uit. De torenklok slaat half zeven. Hij had al in het clubhuis moeten zijn. Leuk hoor, nou komt hij te laat. Allemaal de schuld van dat rotdictee. Zijn vader wilde hem per se overhoren. Bij de vierde fout ging het al mis.

'Kom op, Hans Worst, gebruik je hersens!' Zijn vader noemt hem altijd Hans Worst als hij iets doms doet. En dan lukt het Thijs helemaal niet meer.

Hij spuit de hoek om. Ook dat nog. Het stoplicht springt op rood. Nou, fijn voor het stoplicht! Thijs schiet de weg over. Vlak voor een vrachtwagen langs. De bestuurder toetert hard. En hij tikt kwaad tegen zijn voorhoofd.

Aan het eind van de straat is het station. Thijs steekt het spoor over. Daarna crost hij het grasveld op. In de verte ziet hij een berg fietsen liggen. Dan moet daar die caravan zijn. Als hij het niet dacht.

Hij smijt zijn fiets in het gras. Dan holt hij hijgend naar binnen. 'Sorry dat ik zo laat ben…'

Tien paar ogen staren hem aan.

'Kon je Sesamstraat niet missen?' vraagt Daan plagend.

Thijs kleurt.

'Kom maar snel zitten. We zijn al begonnen.' Daan schuift een eindje opzij. Op zijn schoot ligt een schrift.

Thijs kijkt om zich heen. In een hoek staan verfblikken. En

16

op de grond ligt een oude matras. In een andere hoek liggen een paar dekens. Verder is de caravan leeg.

'Te gek clubhuissie, hè?' zegt Daan.

'Van wie is het eigenlijk?' vraagt Thijs.

'Van de Turboos.'

'De Turboos?' Thijs kijkt Daan verbaasd aan.

'Dat zijn wij, oen,' lacht Daan. Hij wijst op het etiket van het schrift. Thijs leest wat erop staat: *De Turboos.*

'En wat dacht je hiervan?' Daan slaat het schrift open. Op de eerste bladzij staan de namen van de spelers. Met er-achter hun plek in het veld.

'Oké, jongens.' Daan kijkt de kring rond. Zijn gezicht staat gewichtig. 'Wie denkt dat dit een of ander baby-cluppie is, heeft het mis.' Hij pakt zijn pen en begint te schrijven. 'Regel één: We trainen twee keer per week. Regel twee: Wie zonder geldige reden wegblijft, gooien we de club uit. Akkoord?' Hij kijkt de anderen aan.

Iedereen is het ermee eens.

'Nou komt het belangrijkste.' Daan vist een krantebericht uit zijn rugtas. 'Lees jij maar even voor. Dan kan ik het opschrijven.' Hij geeft het bericht aan Thijs.

Thijs kijkt verschrikt naar de letters. Wat zijn die klein! Moet hij zulke kriebelige lettertjes voorlezen? Dat lukt hem nooit!

'Ik… eh… ik kan even niet lezen. Er zit een vlieg in mijn oog. Onderweg vloog-ie erin. En dat kreng is er nog steeds niet uit.' Hij knippert met zijn ogen. Net alsof die pijn doen. 'Lees jij maar even.' Hij legt het krantebericht op Maaikes schoot.

18

'Smoezenkampioen…!' fluistert Maaike hem toe.
Gelukkig heeft niemand het gehoord. Maaike geeft Thijs
een knipoog, strijkt het papier glad en begint te lezen:
'De voetbalbond organiseert een toernooi. Op achttien
mei is de eerste wedstrijd. De winnaars krijgen eigen
clubkleding, een leren bal en één jaar lang een echte trai-
ner. Inschrijven voor één mei aanstaande.'
'Doen we!' Ze slaan elkaar opgewonden op de schouder.

'Weten jullie wie er nog meer meedoen?' vraagt Daan.

'Nou?'

'De Sprinters.'

'De Sprinters? Die klieren die ons altijd uitjouwen als we voetballen?' vraagt Jasper.

Daan knikt. 'Omdat er meiden in ons elftal zitten. Dat mag schijnbaar niet. Zij vinden dat voetbal alleen iets is voor jongens.'

'Dat zullen we ze laten zien!' roept Kim. 'Wedden dat we ze inmaken? Heel jammer, Sprintertjes, maar de eerste prijs is voor de Turboos!'

Het opstel

Thijs trekt zijn jas aan. Zijn moeder kijkt verbaasd op haar horloge. Het is nog niet eens half negen. Thijs gaat nooit zo vroeg naar school.

'Zo, je hebt er wel zin in, Thijs.'

'Vandaag krijgen we ons opstel terug,' vertelt Thijs. 'Ik heb vast een heel hoog cijfer. Ik had het langste verhaal van de hele klas. Eén kantje, helemaal vol. En het is loei-spannend. Daar houdt meester van, dus...'

'Ik ben heel benieuwd.' Moeder zwaait Thijs uit.

Op het schoolplein staat Daantje Doelpunt hem op te wachten. 'Vanavond half zeven, hè? Niet vergeten, hoor.'

'Tuurlijk niet.' Thijs zet fluitend zijn fiets in het rek. Daarna gaat hij de school binnen.

Zodra hij de klas inkomt, gluurt hij naar de tafel van meester Koen. Ja hoor, daar liggen ze. De opstelschriften. Thijs gaat ongeduldig achter zijn tafel zitten. Jammer genoeg moeten ze eerst rekenen.

In een wip heeft hij zijn sommen af. Thijs vindt rekenen namelijk helemaal niet moeilijk.

'Al klaar?' vraagt meester Koen.

Thijs knikt.

'Dan mag jij de opstelschriften vast uitdelen.'

Thijs spurt naar voren. Hij pakt een stapeltje schriften. Eerst bestudeert hij de namen. Gelukkig heeft hij dit wel

vaker gedaan. Daardoor vindt hij het niet zo moeilijk. Een voor een deelt hij de schriften uit. Zijn eigen schrift zit helemaal onderop. Het liefst zou hij er meteen inkijken. Maar dat mag niet. Hij moet eerst het andere stapeltje nog uitdelen.

Eindelijk is hij klaar. Thijs bladert zijn schrift door en... hij wordt bleek. Zijn verhaal staat vol rode strepen. En eronder heeft de meester een ootje gezet. Thijs leest wat erbij staat:

'Een leuk verhaal, Thijs. Maar je maakt veel te veel fouten. En je schrijft achter elkaar door. Denk de volgende keer aan hoofdletters en punten.'

Thijs bijt op zijn lip. En hij dacht nog wel dat hij een mooi cijfer zou krijgen... Heeft hij daarvoor zo zijn best gedaan? Door zijn oogharen gluurt hij naast zich. Nou wordt-ie mooi! Iris heeft wel een voldoende. Moet je zien wat een pisverhaaltje dat is...

Hij is boos en verdrietig tegelijk. Sjoerd en Tuda mogen hun opstel voorlezen. Maar Thijs luistert niet. Het kan hem geen snars schelen wat ze hebben geschreven.

Meester Koen deelt de taalschriften uit. Naast de tafel van Thijs blijft hij staan. 'Werkt jouw moeder vanmiddag in het ziekenhuis, Thijs?'

Thijs schudt zijn hoofd. 'Ze heeft vrij vandaag.'

'Vraag dan of ze na schooltijd bij me langskomt. Ik wil even met haar praten.'

'Ja, meester.' Thijs doet zijn taalboek open. Hij pakt zijn schrift en begint te werken. Maar hij kan zijn hoofd er niet bijhouden. Wat wil meester Koen met zijn moeder bespreken?

Hij denkt aan vorig jaar. En aan Anke. Ankes moeder moest toen ook op school komen. Een paar keer. En daarna ging Anke van school af. Iedereen wist waarom. Anke kon niet rekenen. En ze had altijd hoofdpijn. Daarom moest ze naar een speciale school. Zou hij daar soms ook heen moeten?

Thijs rilt. Dat wil hij niet!

Anke wou ook niet. Dat weet Thijs nog goed. Ze moest er heel vaak om huilen.

Een tijdje geleden kwam ze even op school. Toen was ze weer vrolijk. Ze vertelde dat het een heel fijne school was. Dat ze al bossen vriendinnen had. En dat de hoofdpijn helemaal over was. En met rekenen ging het ook veel beter.

Een fijne school... Thijs zucht. Voor Anke misschien, maar niet voor hem. Hij moet er niet aan denken. Hoe moet het dan met de Turboos? Die kinkelen hem meteen uit de club. Wedden?

'Is dat alles wat je tot nu toe hebt gedaan?' Thijs kijkt in het

24

gezicht van de meester. 'Als ik jou was, zou ik maar een beetje harder werken. Of doe je het liever thuis?'
Thijs schrikt. Hij wil geen werk mee naar huis. Daar heeft hij vanavond geen tijd voor. Hij moet trainen met de Turboos. Hij pakt zijn pen en begint te schrijven.

Hans Worst

Thijs ligt in bed. Hij slaapt. In zijn droom zit hij in de klas. Hij is aan het rekenen. Opeens schrikt hij op.

De deur van de klas wordt opengerukt. De slager stapt de klas in. Zijn witte schort zit vol bloed. En in zijn hand houdt hij een vleesmes. Hij slaat met het mes op de tafel van meester Koen.

'Mijn Hans Worsten zijn op!' buldert hij. 'Heb je nog een dom jongetje voor me?'

'Ik zal eens kijken wat ik voor u heb.' De meester haalt een schrift uit de kast. Thijs schrikt. Dat is *zijn* schrift!

'Leest u dit maar eens. Ik hoop dat het dom genoeg is.' De meester duwt het opstel van Thijs onder de neus van de slager.

De slager kijkt eventjes in het schrift. En dan begint hij keihard te lachen.

'Wat een domme fouten, zeg! Dat bedoel ik nou! Als dat geen goeie Hans Worst is.' Hij tuurt de klas rond. 'Waar zit die domoor?'

'Daar!' De meester wijst Thijs aan.

Thijs duikt weg. Maar de slager heeft hem al te pakken. Aan zijn oor trekt hij Thijs omhoog.

'Mee jij!' brult hij.

'Nee... néé...!' gilt Thijs.

En dan schrikt hij wakker. Hij zit rechtop in bed. Angstig tuurt hij het donker in. Gelukkig, het was maar een droom. Hoe laat zou het zijn?

Hij knipt het lampje boven zijn bed aan. Op de wekker ziet hij dat het één uur is. Thijs zucht. Eén uur pas. De nacht is nog lang niet om. Veel zin om te gaan slapen heeft hij niet. Stel je voor dat hij weer zo eng gaat dromen. Eerst maar eens een slokje water drinken. Hij stapt uit bed.

27

Als Thijs bij de wastafel staat, hoort hij stemmen. Zijn zijn ouders nog wakker?

Hij duwt de deur een stukje verder open. Nu hoort hij het duidelijk. Wat zouden die twee zo laat nog moeten bespreken?

Ineens weet hij het. Zijn moeder is vanmiddag bij meester Koen geweest. Het gaat vast over hem. Hij sluipt de gang op. Achter de deur van de slaapkamer blijft hij staan luisteren.

'Ze willen hem alleen maar testen,' hoort hij zijn moeder zeggen.

'Onzin! Die jongen mankeert niks!' Dat is de stem van zijn vader. 'Daar heb ik geen test voor nodig. Weet je wat er met dat joch aan de hand is?'

Thijs hoort zijn moeder duidelijk zuchten.

'Hij is er gewoon met zijn hoofd niet bij,' gaat zijn vader verder. 'Geloof mij nou maar. Hij denkt alleen aan voetballen.'

'Fred, je had dat opstel moeten lezen. Het stikte van de fouten. Heel rare fouten. En dat voor een kind van groep vijf. Dat klopt toch niet? En hij had er nog zó zijn best op gedaan.'

'En dat geloof jij? Thijs en zijn best doen! Mag ik even lachen. Ik weet toch hoe het op die leeftijd gaat? Ik weet hoe ik zelf was toen ik zo oud was. En het ligt ook aan die meester. Die moest hem veel meer achter zijn broek zitten. En wij moeten hem ook strenger aanpakken. Een onvoldoende voor zijn dictee? Dan niet naar trainen. Wedden dat het helpt?'

'Ik weet het niet, Fred.' De moeder van Thijs zucht weer. 'Die meester is toch niet gek? Die ziet heus wel of een kind zijn best doet. Ik snap best dat meester Koen hem wil laten testen. Hij heeft al heel veel gesprekken met de schoolbegeleider gehad. Dit kan toch zo niet doorgaan? Trouwens, mijn vader zegt al maanden dat Thijs getest zou moeten worden.'

'Mens, dan laat je hem testen!' valt vader uit. 'Dan weten jullie tenminste dat ik gelijk heb. O wee, als blijkt dat hij de

29

boel in de maling neemt. Dan gaan we het eens een tijdje op *mijn* manier proberen.'

'Rustig nou maar,' zegt moeder sussend. 'Dat zien we dan wel weer.'

Thijs sluipt terug naar zijn kamer. Dus ze gaan hem testen... Hoe gaat dat eigenlijk? Is dat niet eng? Moet hij soms naar een dokter? En krijgt hij dan een apparaat op zijn hoofd? Om te kijken of er wel genoeg hersens in zitten? En als ze zien dat zijn hoofd leeg is? Wat dan...?

Hij kruipt weg onder zijn dekbed. Er lopen koude rillingen over zijn rug.

Ruzie

Als Thijs aan komt rijden, ziet hij het al. Opa's fiets staat tegen het tuinhek.
'Zo, Thijs.' Opa kijkt vol bewondering naar zijn tuintje. 'Dat ziet er mooi uit, hoor!'
Thijs zet zijn fiets tegen de schuur. 'Behalve deze.' Hij wijst naar het vioolplantje.

'Dat heb ik gezien,' zegt opa. 'In elke tuin is wel een plant die het moeilijk heeft.'

Thijs haalt zijn schouders op. 'Ik snap het niet. Ik geef hem net zoveel water als de andere planten. En toch doet hij het niet. Er zit nog niet één knop aan.'

'Dat verbaast mij niks, jongen. Niet alle planten zijn gelijk. Sommige hebben een andere aanpak nodig.'

'Ik zou dat viooltje verplanten,' zegt de moeder van Thijs die net komt aanlopen. 'Naast die aardbeiplantjes is nog een leeg plekje. Daar krijgt het ook wat meer zon.'

Thijs kijkt naar het viooltje. Moet dat echt? Hij vindt het een beetje zielig. Wat moet dat viooltje bij al die aardbei-plantjes?

'Dat zou ik nooit doen,' zegt opa. 'Laat dat plantje nou maar op zijn vertrouwde plekje. Verplanten kan altijd nog.

Weet je wat helpt?' Opa kijkt Thijs aan.

'Nou?'

'Je moet tegen hem praten. Dat klinkt misschien gek. Maar het helpt wel. En elke dag een beetje plantevoedsel door het water. Dat is ook belangrijk. Geef hem maar gewoon wat extra aandacht. Dan zul jij eens zien.'

Thijs knikt.

'Binnen staat koffie voor je, papa,' zegt de moeder van Thijs.

'Heerlijk, Mary. Thijs, jij redt je wel, hè?'

'Tuurlijk.' Thijs buigt zich over het viooltje heen.

Opa stapt de kamer in. Door het raam kijkt hij een tijdje naar Thijs. 'Wat heeft die jongen toch een aandacht voor zijn plantjes, hè?'

'Ja.' De moeder van Thijs zucht. 'Had hij maar zoveel aandacht voor zijn schoolwerk.' Ze roert in haar koffie. Het blijft even stil. Dan gaat ze verder: 'Ik... eh... ik ben bij zijn meester geweest. Volgende week wordt Thijs getest.'

Opa laat twee klontjes suiker in zijn koffie vallen. 'Hè, hè, eindelijk verstandig. Dat had een jaar geleden moeten gebeuren. Toen zei ik dat toch al?'

'Toen waren we nog niet zo ver, papa. Volgens Fred gooit hij er met de pet naar.'

Opa steekt een sigaar op. 'Ik snap het niet. Moet je dat joch bezig zien.'

'Ja, in zijn tuin. En als het om voetballen gaat. Want dat vindt hij belangrijk.'

'Wou je beweren dat hij zijn schoolwerk niet belangrijk vindt?' vraagt opa fel.

33

De moeder van Thijs geeft geen antwoord. Dat maakt opa boos. Hij slaat met zijn vuist op de stoelleuning. 'Dat kind zit elke avond te blokken op zijn dictee. En dan haalt hij nog een onvoldoende. Ik was er allang mee gestopt! Maar Thijs gaat dapper door, iedere avond. En jullie zeggen dat hij lui is!' Opa kijkt moeder kwaad aan. 'Hoe kun je zo dom zijn, Mary...'

De moeder van Thijs kijkt naar haar kopje. Ze plukt zenuwachtig aan haar trui. 'Misschien... misschien... wil ik het gewoon niet geloven...' Ze stottert bijna van de zenuwen. 'Wat niet?' vraagt opa.

'Dat mijn zoon niet kan leren…' En ze begint te huilen.

'Het is ook zo moeilijk als het je eigen kind is…'

Op dat moment komt Thijs de kamer binnen.

'Wat is er?' vraagt hij geschrokken. 'Waarom huil je, mam?'

'We hadden een beetje ruzie,' zegt opa. 'Dat kan toch? Een vader en een dochter mogen toch wel eens boos op elkaar zijn?'

Thijs kijkt van zijn moeder naar zijn opa. Hij ziet hun verdrietige gezichten. Even aarzelt hij. Maar dan weet hij het zeker. Het komt door hém!

'Ik weet het best…' schreeuwt hij. 'Ik weet het heus wel… Jullie maken ruzie om mij… Vannacht hadden papa en jij ook ruzie om mij… Omdat ik stom ben!'

Hij holt naar zijn kamertje. Daar valt hij huilend op bed neer. Het is allemaal zijn schuld. Maar hij kan er niks aan doen. Echt niet. Hij kan het niet… Hij kan geen taal. Hij weet niet wat hij eraan moet doen. Hij weet het allemaal niet meer. Hij weet niks meer. Hij wou dat hij niet bestond. Dat hij in de grond zakte. Net als een regendruppel in de aarde…

De weddenschap

Als Thijs komt aanfietsen, steekt Daan zijn duim omhoog.
'Mooi op tijd.'
'Zijn we er allemaal?' vraagt Hakim na een poosje.
'Alleen Jasper nog.' Daan kijkt ongeduldig op zijn horloge. 'Nou Jasper, je hebt nog drie minuten. Dan gaan we beginnen.'
Op dat moment komt Jasper het veld opgecrost.
'Daar ben ik eindelijk. Sorry, jongens. Mijn vader kookte. Pffft…'
'Niet lekker?' vraagt Frank.
'Dat wel. Maar het hele aanrecht stond vol. En ik heb deze week de afwasbeurt. Maakt jullie vader ook zo'n troep?'

Frank zucht. 'Mijn vader niet. Maar mijn moeder… Als die kookt, staat de hele keuken blauw van de rook. Je ziet niet eens het aanrecht meer.'

'Dat zou niks voor mijn vader zijn,' lacht Kim.

'Daarom kookt mijn vader ook zelf. En lekker…! Het lijkt wel of je in een restaurant eet.' Frank wil nog veel meer vertellen. Maar Daan gebaart dat hij zijn mond moet houden.

'Het is hier geen breikransje, jongens. We zijn hier om te trainen. Om te beginnen rennen we twintig rondjes. Goed voor de conditie.'

Nog geen seconde later hollen ze over het terrein. Achter elkaar. Na tien rondjes voelt Thijs steken in zijn zij. Maar hij laat niks merken. Toch veel te kinderachtig. Iedereen holt door. Maaike en Kim ook. Er moet nou eenmaal hard getraind worden. Dat wisten ze van tevoren. Hoe kunnen ze anders de Sprinters verslaan?

Eindelijk zitten de twintig rondjes erop. Maar uitrusten is er niet bij. Daan heeft nog veel meer op zijn programma staan. Pingelen, overschieten, koppen. Ze trainen aan één stuk door. Een uur lang.

'Zo jongens.' Daan kijkt op zijn horloge. 'Het zit er bijna op. Alleen Thijs nog even pesten. Wie wil er op het doel schieten?'

'Ik.' Jasper raapt de bal op.

'Je mag drie keer schieten,' zegt Daan.

'Wie speelt er even voor ballenjongen?' vraagt Jasper.

'Nergens voor nodig!' roept Thijs vanuit het doel. 'Ik haal ze er alledrie uit.'

'Krielkip,' plaagt Jasper. 'Ik trap ze er zó in. In ieder geval één van de drie.'

Thijs snuift. 'Dat had je gedroomd.'

'Wedden?'

'Afgesproken,' zegt Thijs. 'Waar wedden we om?'

Jasper wrijft over zijn buik. 'Om een patatje. Als je ze er alledrie uithaalt, krijg jij een patatje van mij. Maar als je er één doorlaat, dan trakteer jij. Goed?'

'Ik heb geen geld bij me,' zegt Thijs.

Jasper denkt na. 'Ik weet het al,' zegt hij na een tijdje. 'Dan moet jij de hele week voor mij afwassen.'

Thijs steekt zijn duim omhoog. 'Dan kom ik elke avond even bij je langs.'

Jasper loopt vanuit het doel recht het veld op. Hij telt de stappen en legt de bal neer.

'Daar komt hij!' roept hij. Dan neemt hij een aanloop en knalt de bal in de richting van het doel.

38

'Hebbes!' Thijs houdt de bal omhoog.

'Haha… die Jasper,' lacht Kim.

'Nu wordt het pas menens, jongens.' Jasper wrijft in zijn handen. Hij legt de bal neer en spuugt erop. 'Zo, dat helpt.'

Hij doet een paar stappen achteruit, haalt uit en schiet. De bal suist naar de linkerhoek van het doel.

Thijs duikt, precies op de juiste plek. Hij likt langs zijn lippen. 'Hmmm, jongens. Ik proef mijn patatje al.'

'Hoor hem!' Jasper pakt de bal en geeft er een zoentje op. 'Dit wordt hem, jongens!'

Voor de derde keer legt hij de bal neer. Hij neemt een aanloop en doet net of hij schiet. Maar daar trapt Thijs niet in.

'Jammer,' zegt Jasper. En dan geeft hij een keiharde trap

tegen de bal. De bal spuit in de richting van het doel en...
Thijs schopt hem weg.

'Nou, waar blijf je nou met je praatjes?'

Jasper geeft hem een schouderklopje. 'Je bent gewoon té goed. Je bent keigoed!'

'Ja, nou en of. Thijs is een kanjer!' Iedereen valt Jasper bij.

Thijs zucht. Dan is hij tenminste nog ergens goed in.

'Wat mij betreft kunnen jullie naar huis,' zegt Daan.

'Hè, hè, was me dat trainen,' zegt Maaike. 'Ik heb er honger van gekregen.'

'Ik ook.'

'En anders ik wel.'

'Een patatje zou er wel ingaan.'

Nu begint Thijs te lachen. 'Ja ja, ik heb jullie wel door. Jullie willen een patatje van mij bietsen, hè? Vergeet het maar. Dat gaat mooi niet door.'

Mondje dicht

'Thijs, opstaan!' roept zijn vader onder aan de trap.
'Ik kom er zo aan!' Thijs is klaar wakker. Hij is allang aangekleed. Om half zeven was hij al op. Vandaag is Daantje Doelpunt jarig. Hij krijgt van de Turboos een aanvoerderstenue. Dat hebben ze samen afgesproken. De één zorgt voor een T-shirt. De ander voor een broek. Weer een ander voor kousen. En van Thijs krijgt hij een petje.
Tevreden bekijkt Thijs zijn werk. Best goed gelukt, vindt hij zelf. Hij zet het petje op zijn hoofd. Gelukkig, het past nog ook. Dan past het Daan helemaal. Daans hoofd is zelfs ietsje kleiner.

Thijs wil het petje in feestpapier wikkelen. Maar dan bedenkt hij zich. Hij zet het op. Kijken wat zijn vader ervan zegt. Kun je lachen.
Met het petje op zijn hoofd loopt hij de trap af. Beneden

41

op de mat ziet hij de krant liggen. Thijs raapt hem verbaasd op. Niks voor zijn vader om die daar te laten liggen.
Zijn vader zit iedere ochtend bij het ontbijt achter de
krant.

'Je krant.' Thijs legt hem naast zijn vaders bord. Maar
vreemd genoeg besteedt zijn vader er geen aandacht aan.
Hij leest niet eens de koppen op de voorpagina.

Thijs gaat expres tegenover zijn vader zitten, zodat hij het
petje kan zien. Maar zijn vader kijkt niet op of om. Hij
schuift zenuwachtig met zijn beker over het tafelkleed.

'Hoe vind je mijn petje?' vraagt Thijs.

'Eh... watte?' Zijn vader kijkt verward op.

Thijs wijst op zijn hoofd. 'Die heb ik voor Daantje Doelpunt gemaakt.'

'Leuk,' zegt zijn vader. Maar hij kijkt niet eens echt.

Thijs haalt zijn schouders op. Wat die nou weer heeft?

'Thee?' vraagt Thijs na een tijdje.

Maar zijn vader hoort hem niet.

'Of je thee wilt,' zegt Thijs nog eens. Nu iets luider.

'Nee... eh... ja, doe maar.'

Wat heeft zijn vader toch? Aan een stuk door zit hij naar
Thijs te gluren. Thijs wordt er zenuwachtig van. Hij propt
zijn brood in zijn mond. Daarna staat hij op.

'Eh... blijf nog even zitten.' Zijn vader neemt een slok
thee. 'Ik wil even met je praten. Mama heeft een paar da-
gen geleden meester Koen gesproken.'

Thijs kijkt naar zijn bord. Hij weet heus wel wat zijn vader
wil zeggen. Maar dat mag hij niet laten merken natuurlijk.

'En?' vraagt hij.

Zijn vader schraapt zijn keel. Hij kijkt Thijs aan. 'Het gaat allesbehalve goed met je taal. Er komt iemand op school om je te testen.'

'Op school?' Thijs schrikt. Moet hij soms midden in de klas met zo'n apparaat op zijn hoofd zitten?

'Het is iemand van de schooladviesdienst,' gaat zijn vader verder. 'Ze heet mevrouw Blok. Jij kent haar niet. Maar meester Koen wel. Hij heeft al een paar keer met haar over jou gesproken. Je hoeft je geen zorgen te maken. Ze gaat wat spelletjes met je doen.'

'Is dat alles?' vraagt Thijs.

Zijn vader knikt. 'Dat is alles.'

Thijs haalt opgelucht adem.

'O ja,' gaat zijn vader verder. 'Eh… vertel het maar tegen niemand.'

'Flip en Sjoerd mogen het toch zeker wel weten?' vraagt Thijs.

Zijn vader strijkt over zijn kin. 'We hebben liever niet dat je er met iemand over praat.'

'Waarom niet?' wil Thijs weten.

Nu wordt zijn vader een beetje nijdig. 'Gewoon, omdat het nergens voor nodig is. De een vertelt het weer tegen de ander. Zo krijg je maar geklets. Dus: mondje dicht. Gesnapt?'

Thijs knikt. Nou en óf hij het snapt! Zijn vader is bang dat iemand van zijn werk erachter komt. Daarom mag hij er niet over praten. Niemand mag weten dat zijn zoon niet kan leren. Zijn vader schaamt zich voor hem…

Thijs slikt een paar keer. Dan staat hij op en hij loopt de kamer uit.

Kletspraatjes

'Dag mevrouw Blok.'
'Dag Thijs. Tot volgende week.'
Thijs doet de deur van het kamertje achter zich dicht. Hij
zucht opgelucht. Daar heeft hij zich nou zo zenuwachtig
voor gemaakt. Die test was helemaal niet eng.
In het begin was hij wel een beetje verlegen. Maar dat was
zo over. Want mevrouw Blok was heel aardig. Ze vroeg
Thijs van alles. Over thuis. Of hij nog broertjes en zusjes
had. En wat zijn hobby's zijn. Thijs praatte honderduit.
Over voetballen. En over zijn tuintje. Over het viooltje dat
er zo zielig uitzag. Hij vertelde dat hij het elke dag extra
voedsel geeft. En dat hij er ook tegen praat. En dat het lijkt
of het al een beetje opknapt. Mevrouw Blok luisterde naar
al zijn verhalen. Ze vond dat Thijs heel knap kon vertellen.
Daarna moest hij een paar spelletjes doen. Letter-spel-
letjes. Eigenlijk best leuk.
Hij springt vrolijk de trap af. In de gang ziet hij dat alle
kapstokken leeg zijn. Alleen zijn jas hangt er nog. Hij trekt
hem aan en holt naar buiten. Misschien kan hij nog even
voetballen.
Maar op het schoolplein wordt helemaal niet gevoetbald.
Zijn klasgenoten staan met elkaar te smoezen. Als Thijs
eraan komt, wordt het opeens stil.
'Hoi,' zegt Thijs.

Dertig kinderen kijken hem vol medelijden aan.

'Hoi, Thijssie pijssie.' Jasmijn aait hem over zijn bol. 'Wil je een kauwgumpie?'

En Iris doet ook al zo gek. 'Je hebt toch nog dat gummetje van mij, Thijs? Dat mag je wel houden.'

Iedereen doet opeens poeslief tegen hem. Hij weet niet wat hij ervan moet denken. Een tijdje later loopt hij met Flip over het schoolplein. Dan begint hij erover.

'Wat is er eigenlijk? Iedereen doet zo raar tegen mij. Alsof ik zielig ben.'

Flip plukt aan zijn jas. 'We... eh... we vinden het hartstikke rot voor je.'

'Wat?' Thijs kijkt zijn vriend verbaasd aan.

'Ja, wat...' Flip aarzelt. Dan zegt hij snel: 'Dat je van school moet natuurlijk. Wat anders.'

'Van school?' Thijs blijft stokstijf staan. 'Wie zegt dat ik van school moet?'

'Bas,' zegt Flip. 'Die ging vanochtend naar de w.c. En toen zag hij jou. Je zat in het kamertje, met die mevrouw. Je weet wel, datzelfde mens als toen met Anke. Bas zegt dat het een rotwijf is. Dat ze kinderen komt vertellen dat ze van school moeten.'

'Bas kletst uit zijn nek!' valt Thijs uit. 'Mevrouw Blok is helemaal geen rotwijf. En ze zei ook niet dat ik van school moet. Ze wil alleen maar weten waarom ik zo langzaam lees. Daarom heeft ze me getest. Ze was juist hartstikke aardig.'

'Waarom huilde je dan?' vraagt Flip.

'Ik? Huilen? Hoe kom je daar nou weer bij?' Thijs kijkt zijn vriend kwaad aan.

'Ook van Bas gehoord,' zegt Flip.

'Wát...?' Nu wordt Thijs echt woedend. 'Wat is het toch een vuile leugenaar. Ik heb helemaal niet gehuild. Weet je nog wat Bas vorig jaar over Paul vertelde?'

Nu herinnert Flip het zich weer. Bas had verteld dat de ouders van Paul gingen scheiden. En dat was ook niet waar.

'Waar is dat rotjoch eigenlijk? Dan zal ik hem zelf eens aan het janken maken!' Met gebalde vuisten zoekt Thijs met zijn ogen het schoolplein af. Hij wil op Bas afstormen. Maar Flip houdt hem tegen.

'Niet doen. Aan vechten heb je niks. We verzinnen wel iets beters.'

'Wat dan?' Thijs gaat naast Flip op het hek zitten.

Opeens springt Flip op. 'Ik heb het! Ik heb een idee...' Hij fluistert Thijs iets in zijn oor.

Thijs slaat zijn vriend op zijn schouder. 'Dat doen we!'

Flip rent de school in. Een paar tellen later komt hij terug. Hij heeft een stuk papier en een pen in zijn hand.

'Schrijf op!' Hij geeft het papiertje aan Thijs.

Thijs schrikt. Moet hij dat schrijven? Dat kan toch niet? Dan weet iedereen meteen dat het briefje van hem komt. Hij is de enige die zoveel fouten maakt.

'Schrijf jij het maar. Mijn vinger kwam vanochtend tussen de deur,' verzint hij gauw. 'Het doet hartstikke zeer.' En hij geeft het papiertje terug.

'Zullen we het aan Mieke geven?' vraagt Flip.

'Nee,' zegt Thijs beslist. 'Dat vind ik zielig. Ik geloof dat Mieke echt op Bas is. Geef het maar aan Kira. Die kan het niks schelen.'

'Ja, dat is een goeie,' zegt Flip. 'Kira lacht zich rot. Wedden?' Hij schrijft een paar regels op. Dan vouwt hij het briefje dubbel. 'Waar is ze eigenlijk?'

Thijs wijst naar het fietsenhok. 'Daar.'

Flip holt naar haar toe. 'Kira, dit moest ik geven van Bas.' Kira vouwt het briefje open. Ze begint te grinniken.

'Wat staat er? Wat staat er?' vragen haar vriendinnen meteen.

Kira laat het briefje lezen. Nu beginnen ze allemaal te lachen. 'Hahaha... die Bas... Bas is op Kira.' Ze rennen naar Bas toe.

'Bas is op Kira... Bas is op Kira...' joelen ze.

'Helemaal niet,' zegt Bas.

'O nee? Hier staat het toch? *Kira, wil je verkering met me. Bas,*' leest Iris hardop voor.

'Dat heb ik helemaal niet geschreven!' roept Bas kwaad uit.

'Nee, nee,' zeggen de anderen. 'Nu gauw zeggen dat je het niet gedaan hebt, hè?'

'Jullie zijn gek!' schreeuwt Bas. 'Dat briefje is niet van mij.' Hij loopt boos de school in. Bij de deur draait hij zich om. 'Ik ga het tegen de meester zeggen, wacht maar.' Zijn ogen staan vol tranen.

'Moet je vooral doen!' roept Thijs hem na. 'Dan zal ik ook eens iets tegen de meester zeggen. Wie heeft er verzonnen dat ik van school moet? Nou?'

Opa

Opa en Thijs zitten tegenover elkaar aan tafel. Ze zijn aan het dammen. Daar is Thijs heel goed in. Hij wint meestal van opa. Maar vandaag lukt het niet zo best. Dat komt doordat hij zijn hoofd er niet bij heeft. Hij moet steeds aan zijn moeder denken. Zijn moeder is nu op zijn school. Daar praat ze met meester Koen. En met mevrouw Blok die Thijs heeft getest. Thijs is een beetje zenuwachtig. Wat zal mevrouw Blok te vertellen hebben? Zal hij van school moeten? Net als Anke?

Opa probeert hem af te leiden. Hij verzint het ene spelletje na het andere. En tussendoor maakt hij steeds malle grapjes. Toch merkt Thijs dat opa zich ook zorgen maakt. Hij heeft vanmiddag al vijf sigaartjes gerookt. Zoveel rookt hij anders nooit.

Eindelijk horen ze de sleutel in het slot steken.

Thijs vliegt naar de voordeur. 'En? Moet ik van school?'

Moeder schudt haar hoofd. Als ze in de kamer is, begint ze te vertellen.

'Mevrouw Blok weet nu waarom jij moeite hebt met lezen, Thijs.'

'Nou?' Thijs kijkt zijn moeder bang aan.

'Je kent een aantal klanken niet. Tweeklanken. Zoals de ui en de eu. De oe en de oo. En de ie en de ei. Die haal jij door elkaar.'

'Is dat erg?' vraagt Thijs.

'Mevrouw Blok en meester Koen denken dat het wel goed komt. Je gaat op school uit een blauw boek werken. Maar het kan natuurlijk niet allemaal op school gebeuren. Mevrouw Blok heeft voor thuis ook lesjes meegegeven.' Moeder legt een pakje op tafel. Ze haalt er wat boekjes uit. 'Hieruit moeten jullie oefenen. Elke avond.'

'Jullie?' Thijs kijkt haar verbaasd aan.

'Papa en jij. Je hebt er hulp bij nodig. En ik ben 's avonds vaak naar het ziekenhuis. Papa zal je ermee moeten helpen.'

Thijs trekt een lelijk gezicht. 'Dat lukt nooit. Dat weet ik nou al. Als ik even iets niet weet, wordt papa boos. Dan scheldt hij me uit voor Hans Worst. En dan kan ik het helemaal niet meer.'

Zijn moeder zucht. 'Het zal toch moeten, Thijs. Iemand zal die lesjes met je moeten oefenen.'

Opa geeft Thijs een klapje op zijn knie. 'Wat dacht je van mij? Ik heb toch tijd zat. Als je nou elke dag even langs mij fietst. Zo ver is het niet. Dan oefenen wij samen die lesjes. Als mama het goed vindt tenminste.'

'Ja!' roept Thijs blij. 'Met opa kan ik het veel beter. Mag het, mam?'

Zijn moeder knikt. 'Ik vind het best. Als het maar gebeurt.'

Opeens krijgt Thijs rimpels in zijn voorhoofd. 'Enne... en als het niet lukt? Moet ik dan toch van school af?' Hij kijkt zijn moeder angstig aan.

'Daar kan ik nog niks over zeggen, Thijs. En mevrouw Blok ook niet. Ze dacht dat het allemaal best zou lukken. Maar

53

ze weet het niet zeker natuurlijk. Als die tweeklanken maar eerst in je hoofd zitten. Dan gaat het lezen veel beter. En dan lukt het schrijven vanzelf ook beter.'

'Zullen we dan meteen maar aan de slag gaan, Thijs?' Opa slaat het eerste boekje open. Er staat een rijtje woordjes onder elkaar.

'Ga je gang.' Opa schuift het boekje naar Thijs.

'Kool,' leest Thijs.

'Kool?' vraagt opa. 'Staat daar kool?'

Thijs kijkt opa vragend aan.

Op dat moment springt er een poes bij opa op schoot. Opa aait de poes over haar kopje. 'Wat zeg jij, Vlekje. Staat daar kool?'

'Dat is Vlekje niet, opa. Daar ligt Vlekje. Dit is Droppie.'

'Sorry, Droppie,' zegt opa. 'Jullie lijken ook zo veel op elkaar. Ik zie echt geen verschil.'

'Dan moet je maar goed kijken, opa. Vlekje heeft een witte vlek op haar neus. En op haar staart. En Droppie is helemaal zwart.'

Opa zucht. 'Dat onthoud ik nooit. Ik noem ze gewoon allebei Vlekje.'

'Nee, opa, dat vind ik gemeen tegenover Droppie.'

'Gemeen?' vraagt opa. 'En wat doe jij dan? Jij zegt OO tegen deze letterdame. En ze heet mevrouw OE. Dacht je soms dat zij dat leuk vond?'

'Niet echt,' lacht Thijs. 'Maar ze lijken ook zo op elkaar.'

'Net als Vlekje en Droppie,' zegt opa. 'Maar als je goed kijkt, zie je het verschil.'

Thijs bestudeert de oe. Opa heeft gelijk: de tweede letter van de oe ziet er heel anders uit.

'Lees dan nu het rijtje nog eens,' zegt opa.

Thijs begint te lezen. 'Koel, hoek, zoek, boek…' Hij leest het hele rijtje zonder één foutje.

'Weet je nog een woordje met de oe?' vraagt opa.

Thijs denkt na. 'Snoep…'

'Mooi zo,' knikt opa. 'Nou ik. Moeilijk hoor. We hebben er al zoveel gehad. Eh… stoep.'

'Ik weet er nog een!' roept Thijs lachend. 'Poep!'

Nu begint opa te zingen: 'Hoeper de poep zat op de stoep. Laten we vrolijk wezen. Hoeper de poep zat op de stoep. Laten we vrolijk zijn.'

'Hebben jullie zin in thee?' vraagt moeder na een tijdje. Maar opa en Thijs hebben geen tijd voor thee. Die twee

moeten nog veel meer lach-rijmpjes verzinnen. Maar nu
met de oo.

'Mevrouw Rood zat in de boot,' begint opa. 'Niet met haar
kleren aan, maar helemaal…'

'…bloot!' rijmt Thijs.

Anke

'Thijs...!' klinkt het door de straat.

Thijs trapt keihard op zijn rem.

'Thijssie...!' hoort hij weer. Hij kijkt naar de overkant. 'Ha, die Anke!'

Anke holt naar hem toe. Ze duwt haar pols onder zijn neus. 'Hoe vind je mijn horloge?'

'Gaaf,' zegt Thijs.

Anke glimt van trots. 'Voor mijn rapport gekregen. Weet je wat ik voor rekenen had?'

'Nou?'

'Drie keer raden,' zegt Anke.

Thijs denkt na. Vorig jaar haalde Anke altijd drieën voor rekenen. 'Een vijf,' probeert hij.

Anke schudt van nee. 'Hoger.'

'Een zes?' Thijs kijkt haar vragend aan.

'Nee,' lacht Anke. 'Nog hoger.'

'Een zeven dan?'

Anke knikt. 'Goed, hè?'

'Hartstikke goed,' zegt Thijs. 'Ik wou dat ik dat voor mijn taal had.'

'Moet je maar bij ons op school komen,' zegt Anke.

Thijs kijkt naar de grond. 'Ik... eh... ik ben trouwens ook getest.'

'Dus je komt ook bij ons!' roept Anke blij.

Thijs schudt zijn hoofd. 'Ik moet elke dag thuis lesjes doen. En op school werk ik uit een blauw boek. Als de anderen voor zichzelf lezen. Er staan allemaal plaatjes in. En woorden. Die woorden moet ik uitknippen en dan husselen. En daarna moet ik ze onder het goede plaatje plakken.'

'Lijkt me leuk,' zegt Anke.
'Dat is het ook,' vertelt Thijs. 'Soms zijn de anderen jaloers. Omdat ik zo lekker zit te knippen. Waarom heb jij eigenlijk geen lesjes gedaan?' vraagt hij opeens.
'Ik was veel te veel achter,' antwoordt Anke. 'Dan moest ik nog harder werken. En dan zou ik nog veel meer hoofdpijn krijgen.'
'En hoe gaat het dan op je nieuwe school?' vraagt Thijs.
'Krijg je daar geen hoofdpijn?'
Anke schudt haar hoofd. 'Gek, hè, het is helemaal over.

Dat komt doordat we overal veel langer over mogen doen. En we zitten met veel minder kinderen in de klas. Juf Ria heeft veel meer tijd voor je. Daarom snap ik het nu wel. Gelukkig maar, hè, dat ik van school moest. Anders had ik nooit dit horloge gekregen.' Met een stralend gezicht bekijkt Anke haar klokje. 'Weet je wat ik het allermooist vind?'
'Nou?'
'Die roze wijzers.'

Thijs bekijkt de wijzers. Dan schrikt hij. 'Help! Vijf voor half zeven! Ik moet naar trainen. Dag!' En hij springt op zijn fiets.

'Succes met je lezen!' roept Anke hem na.

'Bedankt!' schreeuwt Thijs. En hij scheurt de hoek om.

Een paar minuten later crost hij het terrein op. Hij smijt zijn fiets in het gras en stuift het clubhuis in. Iedereen zit al binnen. Want vanavond wordt er niet gevoetbald.

Afgelopen zaterdag is het toernooi begonnen. De eerste wedstrijd zit er al op. Drie-één voor de Turboos. Een prima resultaat.

Toch was Daantje Doelpunt niet helemaal tevreden. Wel over het spel, maar niet over hoe ze eruitzagen. Ze waren de enigen die geen clubkleding droegen. Je kon ze nergens aan herkennen. Ze hebben afgesproken dat ze dat vanavond in orde zullen maken. Zodat ze aanstaande zaterdag picobello de kwart-finale in gaan.

Alle spelers hebben een wit T-shirt bij zich. Daar moet *De Turboos* op komen te staan. En op hun rug moeten ze hun nummer zetten.

Sommigen willen al beginnen. Maar daar is Daan het niet mee eens. 'Eerst maken we een ontwerpje, jongens. Wie heeft er een ideetje?' Daan kijkt de kring rond.

'Ik had zoiets gedacht.' Kim houdt een vel papier omhoog. Er staat met grote letters 'Turboos' op. Maar de T is een raket.

'Te gek!' roepen de anderen. 'Dat doen we!'

Ze gaan onmiddellijk aan het werk. Na een tijdje begint
Jasper te lachen.
'Moet je Frankie zien, jongens!' Hij houdt het T-shirt van
Frank omhoog.
'Hahaha…' lacht Daan. 'Jouw raket lijkt meer op een zieke
augurk.'
'Hoor hem!' Kim proest van het lachen. 'Moet je je eigen
T-shirt zien. Noem je dat een raket? Ik dacht dat het een
mislukte piemel moest voorstellen.'

'Geeft niet, hoor Daantje,' plaagt Maaike. 'Je schrijft er gewoon onder: *Dit is een raket.*'

'Bedankt, hoor,' zucht Daan. 'Ik dacht juist dat-ie zo goed gelukt was.'

'Thijs heeft pas een gave raket!' roept Hakim.

Nu zien de anderen het ook.

'Thijs, kun je er voor mij ook zo een maken?' vraagt Daan.

'En voor mij?'

'Ja, voor mij ook?'

Opeens wil iedereen dat Thijs hun raket maakt.

'Als ik klaar ben.' Thijs zuigt met een rood hoofd op de achterkant van zijn viltstift. Die raket vond hij niet zo moeilijk. En de U was makkelijk. En de R. Er staat al TUR. Nu nog BOOS. Hoe schrijf je dat ook alweer? Thijs denkt aan het rijmpje van opa.

'Roos plaste in een doos.

Moeder zag het en die werd vreselijk...

...boos,' rijmt Thijs.

En dan weet hij het weer.

De finale

Elke dag werkt Thijs op school uit het blauwe boek. En na schooltijd gaat hij naar opa.

Dan oefenen ze de lesjes die mevrouw Blok heeft meegegeven. Het is niet altijd gemakkelijk. De ene dag lukt het heel goed. Dan dansen opa en Thijs van blijdschap door de kamer. Maar de andere dag is het helemaal mis. Dan maakt Thijs weer dezelfde fouten als voor de lesjes. Soms wil hij er gewoon mee ophouden. Het lukt hem toch nooit. Hij kán geen taal!

Vorige week nog. Toen moest hij een kort verhaaltje voor opa schrijven. Het was een mooi verhaaltje. Maar het zat stikvol fouten. Thijs was heel verdrietig. En opa ook. Ze moesten er samen om huilen.

Toch geven ze de moed niet op. Dat komt niet alleen door opa. Maar ook door meester Koen en mevrouw Blok. Die zeggen dat Thijs echt vooruit gaat. Maar dat hij geduld moet hebben.

Het is een heel drukke tijd voor Thijs. Niet alleen door de lesjes, maar ook door het voetbaltoernooi.

De Turboos draaien nog steeds mee. En hoe! Ze hebben de kwart-finale gewonnen. En de halve finale. Op school wordt nergens anders meer over gepraat. Eindelijk is het zover. Vandaag is de finale. De Turboos tegen de Sprinters.

Thijs stapt opa's huis in. Maar niet om een lesje te doen. Hij komt opa halen. Want die wil de wedstrijd graag zien.

'En?' vraagt opa. 'Ben je zenuwachtig?'

'Best wel,' geeft Thijs toe.

Opa geeft hem een aai over zijn bol. 'Dat hoort erbij, jongen. Kom mee!'

Een paar minuten later lopen ze samen naar het voetbalveld.

Als ze aankomen, staat de vader van Thijs al langs de lijn. Thijs heeft geen tijd om naar hem toe te gaan. Want Daan staat al op hem te wachten.

'Toi, toi,' zegt opa. En hij gaat naast de vader van Thijs staan.

Daan kijkt op zijn horloge. 'Waar blijft Kim nou?'

Eindelijk komt ze aangehold. 'Weet je wat ik heb gedroomd?' roept ze. 'Dat ik voor een leeg doel stond. Ik kon de bal er zo inschieten. Maar ik kreeg mijn voet gewoon niet van de grond. Erg, hè?'

'Dan mijn droom,' vertelt Daan. 'Het was meer een nachtmerrie. Ik schoot in eigen doel. Lekker handig.'

Iedereen schiet in de lach.

'Dus ik kan jou maar beter in de gaten houden,' grinnikt Thijs.

'Weet je wat ik een keer heb gedroomd?' Maaike wil net aan haar verhaal beginnen. Maar ze wordt onderbroken door de Sprinters. De keeper geeft een rukje aan Kims staart. 'Met hoeveel wil je verliezen, schatje?' En dan lopen ze hard lachend door.

'Klojo's!' Kim doet net alsof ze haar spierballen laat rollen. 'Ik zal ze eens wat laten zien!'

Op dat moment blaast de scheidsrechter op zijn fluit. Beide ploegen marcheren het veld op. En even later is de finale in volle gang.

Het is een spannende wedstrijd. De Turboos zijn in vorm. Vooral Thijs houdt er een paar keigoeie ballen uit.

Maar de Sprinters doen niet voor hen onder. Ze zijn echt aan elkaar gewaagd. In de rust staat het nul-nul.

Als ze in de kleedkamer zijn, bespreekt Daan een plan. 'Alles op de aanval, jongens. Alleen Sjaak en Maaike blijven achter.'

Je kan merken dat de Sprinters ook iets hebben afgesproken. Maar wel iets totaal anders. Na de rust spelen ze heel onsportief. De scheidsrechter heeft al een paar keer moeten waarschuwen. En na tien minuten wordt er een speler van het veld gestuurd. En niet voor niks. De jongen tekkelde Daan.

Hoe verder ze in de tweede helft komen, hoe ruwer de Sprinters worden. Af en toe krijgt een van de Turboos een trap of een duw. Maar die spelen dapper door. Totdat Daantje Doelpunt aan de bal is.

Ze stormen met zijn drieën op hem af. Daan schopt de bal gauw naar Kim. Kim dribbelt naar voren. Ze breekt door, tot vlak voor het doel. Ze wil schieten en...

BAF! Daar ligt ze. Languit in het gras. Een van de Sprinters stak zijn been uit. Gelukkig heeft ze zich niet bezeerd. Maar ze is woedend. En de scheidsrechter ook. Hij legt de bal op de stip voor het doel.

De Turboos krijgen een penalty. Meestal neemt Daantje
Doelpunt de penalty's. Maar dit keer wenkt de scheidsrechter Kim.
Als Kim naar voren loopt, lachen de Sprinters haar uit. De
keeper gaat languit in zijn doel liggen. Met zijn hoofd op
zijn arm. Alsof hij slaapt. Zodra de scheidsrechter fluit,
springt hij overeind. Kim kijkt naar de bal. Ze doet een
paar stappen naar achteren en…

Wat een schot! De bal knalt rakelings langs de keeper het doel in.

'Eén-nul...! Eén-nul...!' De Turboos dansen met de armen om elkaar heen over het veld. Ze hebben nog vijf minuten te spelen.

De Sprinters zetten alles op alles. Maar de Turboos zijn ijzersterk. Elke aanval wordt afgeslagen. En dan klinkt het eindsignaal. Thijs zwaait uitbundig naar zijn vader en opa. Ze hebben gewonnen!

Tijger

Meester Koen zit achter zijn tafel. Met een stopwatch in zijn hand. Dat is een soort horloge. Om de beurt roept hij iemand bij zich voor een leestest. Zodra de meester de stopwatch indrukt, moet je beginnen te lezen. Na één minuut geeft hij het teken om te stoppen. Dan weet hij precies hoeveel woorden iemand heeft gelezen.

Bijna de hele klas is al getest. De meesten hebben vijftig woorden gehaald. Er zijn er ook met zestig of zeventig woorden.

Nu zit Merel bij meester Koen aan tafel.

'Nou, nou,' zegt de meester als ze klaar is, 'negentig woorden, Merel. Mooi zo.'

Merel loopt naar haar plaats terug. Ze is niet eens trots. Ze kan nou eenmaal goed lezen. Het best van de klas. Dat weet ze allang.

Voor Thijs is het heel anders. Hij wacht gespannen zijn beurt af. Stel je voor dat hij achteruit is gegaan. Wat dan? Hij wrijft zachtjes over zijn buik. Die doet weer pijn. Maar dan is het zover. Meester Koen noemt zijn naam.

'Zo Thijs,' zegt de meester als Thijs naast hem zit, 'doe je best. Het lukt je vast wel.'

Als de meester de stopwatch indrukt, begint Thijs te lezen. Sommige woorden vindt hij nog heel moeilijk. Dan hapert hij even. Toch zijn er ook woorden die hij zo kan lezen. Zonder ze eerst te spellen.

69

Als de minuut om is, kijkt meester Koen Thijs aan. 'Wat dacht je er zelf van?'

Thijs denkt na. Bij de vorige test had hij achttien woorden gehaald. Als het er maar niet minder zijn geworden... Met een rood hoofd staart hij naar de grond. Hij durft niks te zeggen.

Meester Koen geeft hem een schouderklopje. 'Je hebt zesentwintig woorden gelezen, Thijs. Ik ben trots op je.'

Thijs kan het bijna niet geloven. Heeft hij zesentwintig woorden gelezen? Echt waar?

Even blijft hij bij de tafel van meester Koen staan draaien. Zal hij het durven vragen? En dan zegt hij snel: 'Hoef ik nou niet naar een andere school, meester?'

Meester Koen schudt beslist zijn hoofd. 'Voor Anke was het beter dat ze wegging. Maar voor jou is het het beste dat je blijft. En trouwens... voor mij ook. Over wie moet ik anders thuis opscheppen?' De meester geeft Thijs een dikke knipoog.

Met een stralend gezicht loopt Thijs naar zijn plaats. Onrustig schuift hij op zijn stoel heen en weer. Hij heeft geen geduld meer om te werken. Hij wou dat het tijd was. Dan kan hij naar opa om het goede nieuws te vertellen.

Eindelijk gaat de bel. Thijs stormt als eerste de klas uit. Buiten springt hij op zijn fiets en sjeest naar het huis van opa.

'Opa!' roept hij, terwijl hij de tuindeur openzwaait. 'Opa, ik had zesentwintig woorden!'

Opa kijkt verschrikt op van zijn krant. 'Zesentwintig woorden? Hoe bedoel je? Fout?'

'Nee!' Thijs legt opa alles uit.

Over de leestest. Hoe dat precies gaat. En dat hij de vorige keer achttien woorden in één minuut had gelezen. En nu zesentwintig!

'Jongen!' Opa slaat twee armen om hem heen. 'Kom mee. Dat moeten we aan je vader en moeder vertellen.'

Een paar minuten later fietsen ze door de Dorpsstraat. Opeens schrikken ze van getoeter. De vader van Thijs rijdt naast hen. Hij zwaait. Daarna wil hij doorrijden. Maar opa gebaart dat hij moet stoppen.

'We hebben een verrassing,' zegt opa als vader het raampje omlaag draait. 'Thijs, vertel het maar.'

'We hadden een leestest. Weet je nog hoeveel ik de vorige keer had?'

Vader knikt. Hij weet het precies. 'Achttien.'

'En nou had ik er zesentwintig,' zegt Thijs trots. 'En ik hoef niet van school.'

'Wat vertel je me nou?' Vader parkeert de auto en stapt uit. 'Dat moeten we vieren! Ik ben zo terug.'

Een eindje verderop gaat hij de winkel van een banketbakker binnen. Als hij naar buiten komt, heeft hij een grote doos in zijn hand.

'Mag ik zien wat erin zit?' vraagt Thijs.

Vader tilt het deksel op. Thijs ziet een heerlijke chocolade-taart. Er staat iets op geschreven. Thijs leest de krulletters van slagroom. *'Voor mijn Tijger'.*
Hij kijkt zijn vader aan. 'Ben ik dat?'
'Wie anders?' zegt zijn vader. 'Er is hier maar één Tijger, en dat ben jij. En één Hans Worst, en dat ben ik.' Hij geeft Thijs een kneepje in zijn arm. 'En nu naar huis. Dan gaan we mama verrassen.' Vader zet de taart in de auto en rijdt weg.
Opa en Thijs stappen op hun fiets. Ze rijden zingend naar het huis van Thijs. Bij het tuinhek staat moeder hen al op te wachten.
'Wat ben ik trots op je, knul! En ook op jou, papa.' Ze geeft Thijs en opa allebei een dikke zoen. Met zijn drietjes lopen ze de tuin in. Midden op het pad blijft Thijs staan.
'Opa, kijk nou eens!' Hij wijst naar zijn tuintje.
Opa pakt Thijs bij zijn hand. Samen buigen ze zich over het viooltje heen. Eén, twee, drie bloemknoppen tellen ze.

Over Carry Slee

Hèhè, eindelijk mag ik eens iets vertellen. Het wordt tijd dat jullie mij leren kennen. Ik heb tenslotte alles met die boeken van Carry Slee te maken. Ik ben Doenja, Carry's hond: een raszuivere vuilnisbak, wit met zwarte vlekken, een zwarte krulstaart met een wit puntje.

Carry en ik zijn altijd samen. 's Morgens beginnen we de dag met ons wandelingetje. Pas als ik lekker een poes achterna gezeten heb, of een paar eenden in het water heb gejaagd, gaan we naar huis.

We wonen in Noord-Holland, in een huisje vlak bij zee. Onze werkkamer ziet er heel gezellig uit. De muren hangen propvol tekeningen die jullie voor Carry (en voor mij natuurlijk) hebben gemaakt. Verder staat er een bureau, een computer en een kast vol kinderboeken. Maar het allermooiste in die kamer is mijn mand. Daar ga ik dan gauw in liggen, heel stilletjes. Want als Carry schrijft moet het muisstil om haar heen zijn, anders lukt het niet. Als ik dan zo rustig lig, hoor ik haar pen over het papier krassen. Want ze schrijft haar verhalen eerst met een pen. Pas als ze er tevreden over is, komt de tekstverwerker er aan te pas. Nou denken jullie zeker dat ik daar de hele dag lig te pitten. Vergeet het maar. Soms krijgt Carry een te gekke inval. 'Jaaa!' juicht ze dan. En dan kwispel ik met mijn staart. Maar het gebeurt ook wel eens dat het helemaal niet lukt.

Nou, dan kan je wat meemaken.

'Ik hou ermee op!' schreeuwt ze dan. Maar zo'n vaart loopt het niet. We hoeven elkaar maar even aan te kijken of ze pakt haar pen weer op. 'Weet je wat, ik begin gewoon opnieuw,' zegt ze dan en dan gaat ze weer aan het werk, totdat Nadja en Masja uit school komen. Want Carry zorgt niet alleen voor mij, ze heeft ook nog twee dochters. Een van veertien en een van elf jaar. We hebben trouwens ook twee poezen: Beertje en Doelie. Maar daar wil ik het niet over hebben, die snurkers snappen niks van schrijven.

Soms vertelt Carry iets in haar boek dat echt is gebeurd. In *Verdriet met mayonaise* lees je over Plukkie, een zwart hondje dat Paul en Leentje uit het asiel halen. In het echt is Plukkie ook uit het asiel gehaald, alleen niet door Paul en

Leentje, maar door Carry zelf. Toen ik bij Carry kwam wonen, was Plukkie al oud. Twee jaar later ging ze dood. Wel verdrietig, maar gelukkig heeft ze een fijn leventje gehad. Ze staat op de achterkant van *Verdriet met mayonaise*. Eerst was ik daar een beetje jaloers op. Maar nu ben ik er toch blij om, want daardoor kan ik haar nog vaak zien. En wie weet kom ik ook nog eens op het omslag van een boek.

Toen Carry Plukkie uit het asiel haalde, was ze nog geen schrijfster. Toen stond ze voor de klas. Ze was dramadocent en gaf toneelles op een school in Zaandam. Ik was toen nog niet eens geboren. Plukkie heeft het mij verteld. Carry bedacht samen met de leerlingen toneelstukjes. Het schijnt dat die leerlingen dat heel leuk vonden. Dat snap ik, want als Carry eenmaal aan het verzinnen slaat, houdt ze nooit meer op. Daar weet ik alles van. Het ene verhaal na het andere bedacht ze. Als de school allang was afgelopen zat zij thuis nog te verzinnen. Opeens dacht ze: 'Als ik toch de hele dag verhalen bedenk, dan kan ik die net zo goed opschrijven. Dan kunnen alle kinderen ze lezen.' Toen is Carry schrijfster geworden. Je begrijpt dat Plukkie dat heel gezellig vond. Nu was haar baasje elke dag thuis.

Ik heb Carry wel eens horen vertellen dat ze al van boekjes hield toen ze nog heel klein was. Als kleuter vouwde ze van tekenblaadjes zelf boekjes. Om het er echt uit te laten zien, lijmde ze er een kartonnetje omheen. Op het omslag tekende ze waar het boek over ging. En binnenin schreef ze er met potlood letters in: fopletters, want ze kon nog niet schrijven. Zodra het boek af was, klapte ze in haar handen. 'Allemaal in de kring!' riep ze dan tegen haar knuffels.

77

'Ik heb weer een boek geschreven, dat ga ik jullie voorlezen.' Ze sloeg het boek open en begon te verzinnen. Ik heb die verhalen nooit gehoord, maar veel soeps zal het wel niet zijn geweest. Tenslotte had ze mij nog niet. En Nadja en Masja waren er ook niet om haar te helpen. Want die luisteren elke dag als ze uit school komen naar wat Carry heeft geschreven. En reken maar dat ze gewoon hun eigen mening geven. Soms zijn ze heel enthousiast, maar het gebeurt ook wel eens dat ze een hoofdstuk stom vinden en dan moet Carry opnieuw beginnen.

Carry schrijft alleen kinderboeken. Als ze voor grote mensen gaat schrijven blijf ik beneden. Ik heb een hekel aan grote mensen. Uitgedroogde kroketten zijn het. Toen ik klein was, hebben ze me acht weken in een pikdonkere schuur opgesloten. Gezellig hè? Ik vertrouw die aangebrande frikadellen niet meer. Als er iemand bij ons thuis komt begin ik keihard te blaffen. Soms grom ik tegen ze. En als ik het een erge stommerd vind, trek ik stiekem mijn bovenlip op. Dat mag niet van Carry. Maar ik weet heus wel dat zij sommige mensen ook mislukte krentebollen vindt. Ik zie vaak aan haar gezicht dat ze denkt: 'Wat een saaie Piet is dat, zeg! Wanneer hoepelt die eens op?' En bij kinderen denkt ze dat nou nooit.

Carry bezoekt vaak scholen. Dan praat ze met de leerlingen over haar werk. Jammer genoeg word ik nooit uitgenodigd. Misschien komt dat nog nu ik zelf ook beroemd word. Ik weet alles over Carry Slee. Dat ze vierenveertig jaar is. Dat haar lievelingseten cous-cous is. Dat ze van wandelen en lezen houdt. Dat haar lievelingskleur blauw is.

Dat ze maat negenendertig van schoen heeft. En dat ze zevenenvijftig kilo weegt. Dat ze om een zielige film of een zielig boek altijd moet huilen. Dat ze vroeger op school heel erg stout was. Dat ze vaak de gang op werd gestuurd. Dat ze nu ook nog wel eens stout is. En dat ze dingen doet die zogenaamd niet bij grote mensen horen. Dat ze af en toe zin heeft om alles in de war te schoppen. En dat ze het ook doet, vooral als ze het saai vindt worden. Want daar kan Carry niet tegen.

Ik weet nog veel meer van Carry Slee. En ik weet alles over haar boeken. Ik weet zelfs hoe je schrijver moet worden. Daarvoor hoef je geen studie te volgen. Je moet wel oefenen. Elke dag moet je een verhaaltje schrijven, zodat het steeds beter wordt. En dan stuur je het op naar een uitgeverij. Als ze het een mooi verhaal vinden maken ze er een boek van. Dan ben je schrijver. Laat je niks wijsmaken, je hoeft heus niet zo goed in taal te zijn. Op een uitgeverij werken heel knappe mensen, redacteuren heten die, en die weten alles van taal en verbeteren kromme zinnen en fouten in je werk. Het gaat er meer om dat je een boeiend verhaal schrijft, dat iedereen uit wil lezen.

Als je dat kan en je houdt net als Carry Slee van verzinnen, dan kan je schrijver worden.

Maar ik waarschuw je, zonder hond wordt het niks.

DOENJA

HIER SIGNEERT
DOENJA